a mi hermano
Alejandro J. Sessa

A. S.

a mis padres
José María Peña
y Esther C. de Peña

J. M. P.

I.S.B.N.: 950-9140-03-1

Publicado en la Argentina en 1987 por Cosmogonías S.A.,
Billinghurst 2386 - Buenos Aires.

Coedición realizada por Cosmogonías S.A.,
Buenos Aires, Argentina,
y Philip Grushkin Inc., Nueva Jersey,
Estados Unidos de América.

Queda hecho el depósito que dispone la ley Nº 11.723.

For My Friend
I hope you enjoy this style.
Best Regards- Maria & Sue

RINCONES
DE BUENOS AIRES

EDICIONES COSMOGONIAS
Buenos Aires

RINCONES
DE BUENOS AIRES

José María Peña / Aldo Sessa

TEXTO / FOTOGRAFIA

JOSE MARIA PEÑA Y ALDO SESSA EN EL MUSEO DE LA CIUDAD.
FOTOGRAFIA DE LISL STEINER, 1987.

¿QUE ES UN RINCON?

¿Qué es un rincón? Quizá parezca un disparate ponerse a definirlo, pero... cuentas claras conservan la amistad, y este libro va a los amigos, pues quien tenga interés en Buenos Aires o por lo menos curiosidad, ya es nuestro amigo. El diccionario define al rincón, además de "ángulo de las paredes", como "escondrijo", y esto es precisamente lo que nosotros intentaremos descubrir para ustedes: los escondrijos de nuestra ciudad. Coincidiremos con los que digan que mucho de lo que se verá es obvio, pero también la experiencia nos ha demostrado que lo obvio es lo menos conocido.

En la serie de libros sobre la ciudad que Manuel Mujica Lainez, Aldo Sessa y yo hemos llevado a cabo en conjunto, el primero fue quien escribió los textos; esto ya no podrá suceder, desgraciadamente, por lo que a pedido de Sessa asumí la responsabilidad, con la seguridad de que Manucho sonreirá condescendiente, y con no menor picardía y complicidad, sabiendo cuánto nos acordamos de sus comentarios cuando trabajábamos con él.

Aldo Sessa ha elegido ahora para captar a Buenos Aires una cámara "panorámica" de los años cincuenta, para cuyo uso es necesario tener buen pulso, pues el mecanismo tarda algunas décimas de segundo en recorrer la imagen enfocada. Las vistas panorámicas depararán visiones inesperadas; el lago del Rosedal no tendrá límites, mientras que el Museo de Calcos parece un escenario para Orson Welles.

Quien quiere conocer las ciudades elige para ello cualquier punto de mira, por disparatado que éste parezca. Valga como ejemplo la visión de la Avenida de Mayo en la cuadra del diario La Prensa y la Municipalidad, o el panorama de las cúpulas cercanas a Plaza de Mayo. Hacia lo alto o hacia lo ancho, los rincones se desperezan como un gato, caseros y cotidianos, pero de alguna manera enigmáticos. Esta visión, algunas veces deformada, pone aún más de manifiesto los rincones elegidos. Así sucede con la casa del arquitecto Alejandro Virasoro en la calle Agüero, que parece estar en esquina cuando en realidad está en el centro de la cuadra; para quienes sea una novedad, resultará un llamado de atención, y para los que sí la conocen, probablemente un motivo de debate sobre la "invención" de un paisaje. Tanto una como la otra son reacciones beneficiosas que contribuyen a la toma de conciencia por la identidad de los lugares. Pero no intelectualicemos la propuesta; las imágenes hablan por sí mismas, y serán ustedes quienes crearán sus propios mundos gracias a nuestra tan criticada, discutida y entrañablemente querida Buenos Aires.

JOSE MARIA PEÑA

a Enormes e imponentes, con sus raíces aferradas como dedos al terruño, parecen decir: "Hace mucho que estamos aquí, hemos visto crecer el Alvear Palace, caer el Palacio Dose (como se lo llamaba) y levantarse departamentos." La Avenida Alvear ya no es lo que fue, ahora es lo que es; y adelante mientras sea para bien.

b El gomero de la Recoleta, que tuvo en vilo a la población por su posible muerte a causa de la subterránea playa de estacionamiento, continúa felizmente allí uniendo su identidad urbana a la del café La Biela, menos ecológico y más frívolo, pero tan porteño uno como el otro.

c

d

b

c En la Recoleta, junto al Centro Cultural Buenos Aires, se puede ver esta columna que no es conmemorativa. Es simplemente la ventilación de los baños subterráneos, a la que le quitaron los cuatro faroles de hierro forjado que rodeaban su cuerpo superior. Allí estuvieron hasta la década del 70. Su soledad, mutilación y esbeltez nada significaron ante los homenajes partidarios.

d Las obras de adaptación en el antiguo Asilo de Ancianos Gobernador Viamonte, para Centro Cultural, significaron cambios en la estructura arquitectónica del lugar. El tradicional murallón renacentista de la Recoleta parece haber expresado su protesta, pues parte de él se desmoronó arrastrando en su caída una de las estatuas que lo coronaban. No leímos en los diarios la noticia de "suicidio dudoso".

a En el corazón de la ciudad de los muertos, el Cristo de Zonza Briano es el punto de convergencia de todas las diagonales. Personajes y alegorías, de bronce y de mármol, envejecen sin arrugas maquilladas por el "smog".

b En este catálogo de arquitectura que es el Cementerio de la Recoleta, el neogótico no podía estar ausente. Sobreelevada seis escalones se encuentra erguida la tumba de la familia Gelly y Obes.

c La imaginación de los proyectistas ha podido volar con mayor libertad que en otros lugares, en los cementerios; no caprichosamente se habla de arquitectura funeraria. La tumba de la familia de Federico Leloir es buena prueba de lo dicho: una hermética construcción coronada por un transparente templete dentro del cual aparece encerrada una cúpula es el sepulcro perfecto para quienes, en nuestra historia, llamamos "la generación del 80".

d Algunas de las más viejas se hallan en parte abandonadas, con sus revoques caídos y vegetación creciendo en los intersticios de los ladrillos. Esto no

e sucede en la dedicada al presidente Carlos Pellegrini. El monumento lo muestra sentado levantando su brazo derecho en silenciosa arenga para la posteridad mientras la República, de pie en el basamento, lo acompaña.

f Pero como no podía ser de otra manera, en las estrechas calles conviven, por así decir, los estilos tradicionales con los diseños contemporáneos, como irrefutable realidad del paso de los años.

a Alguien al ver esta fotografía del monumento al general Mitre se preguntará: ¿Por qué habrán hecho una toma de la parte de atrás? Nuestra respuesta es: ¿Por qué no? Los escultores Rubino y Calandra trabajaron creativamente en el año 1926 todo su contorno. En definitiva estamos convencidos de que las nucas también tienen su encanto.

b Mucho se ha hablado del afrancesamiento de Buenos Aires, lo cual es cierto en un determinado momento, pero pocas veces se dice que la influencia sufrió un condicionamiento local. Nuestro carácter y costumbres la reinterpretaron. La balaustrada de la Plaza Mitre, con sus faroles junto al ancho camino, se integra con los árboles del paraje.

c No crean ustedes que la escalera le quedó grande al general Mitre, es que él está ya lejos, cabalgando en la historia.

c

b

a

b

a El medioevo porteño con el misticismo de sus oji-
b vas, tiene uno de sus más rutilantes ejemplos en el
edificio que impone su presencia en Las Heras y
Azcuénaga. Inconcluso, con falsas leyendas al res-
pecto, despojado de su cresteria de cinc, es un per-
sonaje vigente en la vida de Buenos Aires. La catedral de la calle Las Heras, como muchos lo llaman,
fue proyectado por el arquitecto Arturo Prins en
la segunda década de nuestro siglo, como sede de
la Facultad de Derecho. En la actualidad se encuentra ocupado por dependencias de la Facultad
de Ingeniería. En su interior magníficos artesona-
dos neogóticos de yeso pasan inadvertidos para
quienes en él trabajan o circulan por las veredas
que lo rodean.

Alejandro Virasoro fue uno de los pioneros de la arquitectura moderna, su actuación coincide con el final del período "art nouveau". La fotografía panorámica fuerza la imagen haciendo pensar que la que fuera su casa, se encuentra en esquina; lo que no es así. Sus fachadas simples, de volúmenes netos y casi sin ornamentación les valieron el sobrenombre de "Sin novedad en el frente", título de la contemporánea novela de Erich María Remarque. El detalle de una de las esquinas de la casa, Agüero 2038, a la cual sus actuales propietarios no han sabido valorar al colocarle acondicionadores de aire que destruyen la elegancia de las líneas verticales. Una solución para el aire, que al arquitecto Virasoro le hubiera cortado la respiración.

"Sosiego en la ciudad" podría ser un título para esta imagen. Es la esquina de las calles Centeno y Ocampo en "Palermo Chico"; la casa roja, blanca y negra prolonga el señorío de quien fuera su dueño, el doctor Miguel Angel Cárcano, posiblemente con su mismo recato y sentido del humor.

Detrás de ella el edificio de departamentos que rompe con su altura la coherencia y escala de un muy particular barrio de la ciudad. Esperemos que una golondrina no altere la estación "meteorológico-urbanística".

e

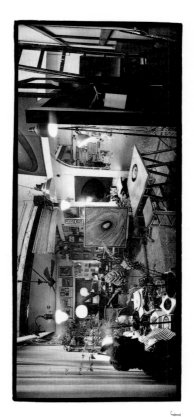

f

g

d

a El Lazo, así denominada en 1949, más que calle es
b una cortada; es como un brote de Salguero en su
c cruce con Cabello. ¿Un cabello florecido quizás? El
d hecho concreto es que en la tal cortada tiene su es-
e tudio el responsable de las fotografías de este li-
f bro. Es su mundo.
g Tanto fotografiar la ciudad, lo decidió a trasladar
allí retazos de sus edificios como compañeros de
trabajo. Ventanas de mansardas a nivel del piso,
cenefas de cinc, mascarones y plantas, muchas
plantas, incluyendo la vieja parra que allí estaba
cuando llegó, han tomado posesión del patio.
El estudio propiamente dicho es difícil de descri-
bir, porque él también ha sido invadido por piezas
y objetos que alguna vez formaron parte de algo,
ubicándose entre sus pinturas y fotografías, y los
libros. Es un verdadero y cálido lugar de creación
y realización; que es una manera más amplia de
decir trabajo.

a Quien observe esta imagen, jamás se le ocurrirá pensar que a este edificio se lo bautizó "El palacio de los patos", no precisamente porque en él hubiese un lago donde nadaban estas simpáticas aves. El nombre le vino a causa de que en él se instalaban aquellas familias que habían sufrido un revés de fortuna. No está de más aclarar que "patos" se les dice, en lenguaje popular, a los que carecen de medios. El edificio fue proyectado por el arquitecto Senillosa y está en la calle Ugarteche 3050.

b Un rincón de Buenos Aires donde se inventó una placita de juegos que la insensibilidad y la falta de respeto al vecino degradó, y que a pesar de ello éstos deberían reivindicar.

c Si su singular presencia en Malabia y Cabello hoy nos llama notoriamente la atención, podemos imaginarnos lo que habrá significado en 1911, cuando el arquitecto Pidgeon lo construyó. En su fachada se combinan los ladrillos tradicionales con otros expresamente fabricados, de textura rústica, utilizados especialmente en la ornamentación en relieve.

a Hace ochenta y tres años que Garibaldi sujeta el

b entusiasmo de su cabalgadura en homenaje a Buenos Aires, ya que el monumento se inauguró allá, en 1914, frente a los Portones de Palermo y al Jardín Zoológico. En nuestros días otros caballos menos briosos, con los cascos sobre el asfalto, a pocos metros, esperan al cliente que quiera pasear por los jardines.

c En el pequeño país de los animales, el pabellón de los felinos con sus altas rejas y sus cúpulas a la francesa, construido en 1900, es otro de los exotismos que nunca olvidaremos, como tampoco el incesante ir y venir de los tigres y demás congéneres.

d Acompañados por sus maestros los estudiantes visi-

e tan el Zoológico anotando sus impresiones y cum-

f pliendo con el ineludible rito de la galletita, para

g satisfacción de los animales. El quiosco de música

h sigue cumpliendo su función tradicional a la que se suma la de ser el escenario donde los chicos se juntan para trabajos grupales.

a El fotógrafo fotografiado junto a la Venus de Milo, los dos de pie. Aparentemente ninguno de los dos tiene brazos; ella porque los perdió en el tiempo, él porque los clientes no llegan desde hace un tiempo. El Zoológico, casi vacío, no ha sido asaltado aún por el entusiasmo juvenil.

b Son las primeras horas de la mañana, el sol se filtra entre las ramas y la manguera de riego, que no ajusta bien en la canilla, deja escapar el agua que

forma un charco en el camino. Al fondo, neogótico y con almenas, con su foso y puentes de entrada está la "casa" de los osos. Construido en 1897, es uno de los pabellones más antiguos de nuestro irrepetible Zoológico.

c El pobre oso polar parece resignado a su cautiverio en una ciudad cuyo clima ni por alteración meteorológica se aproximaría a lo que a él le corresponde por derecho natural.

28

30

a En el siglo pasado, indefectiblemente, no se concebía un jardín público sin invernadero; en nuestro Jardín Botánico también lo tuvimos. Una escalera de hierro lleva a las pasarelas del techo que fueron la obsesión vedada de generaciones infantiles, a la que se sumaba la sugerente atmósfera rezumante del interior.

b Las estatuas de Venus, Diana y Mercurio fueron familiares, personajes ornamentales en aquellos

tiempos en que la historia antigua y la mitología eran materias que despertaban la imaginación de grandes y chicos.

c La casa del Botánico, como muchos la llaman, fue
d a fines del siglo pasado la sede del Museo Histórico Nacional. En ella se encuentra hoy la Dirección General de Paseos; ardua responsabilidad observada con resignado conocimiento de causa por el anciano de mármol que el escultor Miguel Blay bautizó *Los primeros fríos.*

a La gente en general está convencida de que la Exposición Rural es un certamen ganadero anual que se realiza en el "Predio Ferial de Palermo"... pero en realidad es mucho más que eso; o mejor dicho es algo que por lo obvio pocos valoran en su exacto significado.

Es la posibilidad para los porteños de tomar contacto con los actores de esa obra hermética para los "citadinos", que es la sencilla y difícil labor concretada por el hombre y la naturaleza. Digamos, sin

intelectualizar el tema: es la rotunda presencia de los toros, los criollos con sus arreos, los caballos, las ovejas; en definitiva el olor a campo en la ciudad.

TEXTO PERTENECIENTE A LAS PAGINAS 34-35

Los jardines de Palermo se diseñaron sobre los terrenos que rodeaban al caserón de Rosas. La incontenible y permanente obsesión por estar al día que sufrimos los argentinos, llegó al lugar en la década del 1870 y de allí en más se sumaron las nuevas ideas, encuadradas siempre en el pintoresquismo que fue la moda de fines del siglo pasado. Desde el puente con baranda de hierro forjado, descubrimos el quiosco que penetra en el lago; aquí seco. Una nueva versión del pintoresquismo.

33

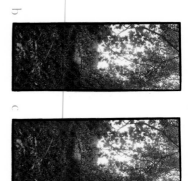

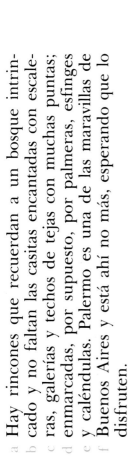

a Hay rincones que recuerdan a un bosque intrin-
b cado y no faltan las casitas encantadas con escale-
c ras, galerías y techos de tejas con muchas puntas;
d enmarcadas, por supuesto, por palmeras, esfinges
e y caléndulas. Palermo es una de las maravillas de
f Buenos Aires y está ahí no más, esperando que lo
disfruten.

a Palermo es, sobre todo, naturaleza, sus árboles son
b personajes insustituibles que subrayan con su pre-
e sencia cada rincón. Lo son con sol o sin él, pero los
días de niebla sucede algo especial. Ella envuelve
lo existente creando planos en diferentes tonos de
negro y gris; lo lejano se diluye y los primeros planos se recortan como sombras chinescas. Las imágenes se transforman en tapices que quisiéramos
colgar.

El patio andaluz es una explosión de color entre el verde; sus baldosas, los azulejos, la fuente y las pérgolas tienen ganado su lugar en el paseo. Esto sucede desde comienzos de la década del 1930, como lo tuvo anteriormente, en el mismo lugar, el exótico pabellón de los lagos, inaugurado en 1901. Sarmiento, en tanto, continúa aún preocupado porque los argentinos sepan leer y escribir educadamente...

TEXTO PERTENECIENTE A LAS PAGINAS 40-41
Llovió en Palermo, las gotas de agua golpearon la copa de los jacarandaes y las flores color violeta cubrieron el camino. Los grandes charcos acercan el cielo a la tierra, mientras los bancos se transforman en estratégicas postas para un siempre renovado goce visual. ¿Qué pensaría Juan Manuel de Rosas si caminara hoy por lo que fue el jardín de su casa, ahora tan diferente?

a El lago duplica las imágenes en el anochecer de
b Buenos Aires, para hacernos creer que tenemos
c dos planetarios; pero no es así. El que está en Palermo es ya difícil de mantener y su complejo mecanismo es grave preocupación para quienes tienen la responsabilidad de acercarnos estrellas y
constelaciones.

43

b

a

El león y la leona han trasladado su reinado a la poco exótica Buenos Aires, esto no es óbice para que encuentren en ella orgullosas palmeras. Una vez más la ciudad ha demostrado su voluntad de recibir con los brazos abiertos a todo aquello que pise su suelo sin distingos de origen. Los orgullosos leones están hoy en Palermo y su autor fue Nicolás Cain.

Los terrenos de Palermo fueron un bañado, a principios del siglo pasado, que Juan Manuel de Rosas saneó al construir allí su casa. Tiempo después, en 1875, al inaugurarse el paseo, se lo enriqueció con distintas variedades equipándolo sucesivamente con faroles, bancos y esculturas. Mucho de ello está aún allí.

a Dos mundos diferentes, la escalera cubierta y el
b cielo abierto. La primera imagen es un docu-
mento de intemperancia, el segundo mundo representa la comunicación; dos realidades actuales
para la estación 3 de Febrero. Los puentes de hierro son testimonios palpables de la denominada
revolución industrial, con la combinación de sus
perfiles y la simetría de sus remaches.

Los enormes espacios de la estación 3 de Febrero con sus paredes y columnas de símil piedra, relucen vacíos y limpios. Ni un papel parece volar por los pisos de mosaicos, las rejas y molinetes son trabas inútiles para inexistentes pasajeros.

Sólo el sol con su vitalidad irrumpe alegremente rompiendo la pomposa solemnidad del lugar. ¿Cómo será la imagen nocturna de este salón?

e

f

En las carreras el espectáculo es completo. Es parte de un todo, el entusiasmo ante el paso del favorito,
c la lucha por llegar al disco, el tiempo para meditar
d entre carrera y carrera y los indispensables actores
e de la representación. Siempre hay quien sale feliz
f con la función.

c

d

a Los académicos jardines del Hipódromo no podían
b evadir la escultura decorativa. En ellos, la romántica joven "Belle Epóque", junto al edificio construido por el arquitecto Dujarric, comparte el semanal bullicio de las carreras con la infaltable Diana cazadora, que inútilmente trata de huir de los antiestéticos papeles.

a Esto que fue habitual en el siglo pasado y a principios del actual, hoy nos parece fantasmal. Felizmente lo que aquí vemos no lo es; aún está con nosotros la tradicional casa Martineau con sus relieves y moldes para los ornamentos de los edificios afrancesados y académicos que todavía nos son familiares.

b María Antonieta, la Virgen y el Niño, balaustres o frentes de estufas, nada hay imposible para Martineau, encariñado y respetuoso de un oficio tradicional con una vigencia que muchos pueden suponer perdida.

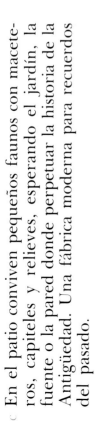

En el patio conviven pequeños faunos con macete-
ros, capiteles y relieves, esperando el jardín, la
fuente o la pared donde perpetuar la historia de la
Antigüedad. Una fábrica moderna para recuerdos
del pasado.

a "La Redonda", como la llaman, es una de las más
b antiguas presencias del lugar; construida en la dé-
c cada del 1860 fue proyectada por los arquitectos
Canale, padre e hijo. Su enorme cúpula fue, durante mucho tiempo, la presencia más imponente
del barrio.

No hace tanto tiempo una autoridad municipal, o
varias, consideraron necesario eliminar los plátanos
de la ciudad de Buenos Aires, porque producen
alergia. No sabemos estadísticamente cuántas
muertes, enfermos graves o benignos han causado
estos majestuosos árboles de troncos que se descas-
caran tan decorativamente como sus hojas al caer
sobre el césped. Nosotros pensamos que Buenos
Aires se lleva bien con sus plátanos, al menos así
parece suceder en la Plaza de Belgrano, frente a la
iglesia de la Inmaculada.

TEXTO PERTENECIENTE A LAS PAGINAS 54-55

Se pone el sol en la plaza de las Barrancas de Belgrano, las sombras se estiran con ganas de dormir, como casi todos los días. Allí está el quiosco de música por un momento solitario; sus finas columnas de hierro sostienen el techo que en el centro se ha hinchado como si las melodías de las bandas de música se hubieran almacenado en él a través de los años.

Valses, polcas, mazurkas y ahora, por supuesto, rock; será espectacular cuando el bulbo explote.

53

La vieja quinta con su casa en el medio del jardín, es casi ya un recuerdo literario. No obstante, buscando en nuestra inmensa ciudad, aún es posible encontrarla. Allí está con su galería de columnas, elevada algunos escalones; las infaltables palmeras la flanquean, y en el coronamiento el sello de propiedad: "Villa Roccatagliata. 1900". Para quien quiera verla, que "ocurra", como se decía en el siglo pasado, a Avenida del Tejar 2601. Es probable

a   que al acercarse a las rejas que la circundan, un ladrido le anticipe que hay un guardián.

b   El carril para peatones es como una larga jaula con entrada y salida que uno elige para estar por encima de los demás; posición que no es de soberbia, sino de salvaguarda física.

b

"La casa de las rocas". Así la conocen los que se interesan por las cosas de la ciudad. Está en la Avenida Cabildo 66. El revoque se transforma en piedras superpuestas o en troncos de árboles, que en un balcón el tiempo derrumbó. Un exótico jardín de bananos, palmeras y plantas trepadoras, se suma al clima de misterio que siempre se decide encontrar en aquello que está fuera de lo común.

a En toda ciudad hay lugares recónditos, como otros lo son casi obvios.
Para quienes sean curiosos caminantes de su ciudad probablemente estos ejemplos no serán una sorpresa, no obstante lo cual, volver a verlos a través de nuestro lente será como revivir experiencias. Para aquellos que no los conozcan será un descubrimiento. En Guatemala al 4200 está este patio que da a la calle, para lucir la fuente y crear
b privacidad a los departamentos. En las calles Jun-

c cal y Esmeralda está el edificio Estrugamou con su entrada para carruajes y su Victoria de Samotracia
d mirando al sur. En Gorriti 5156, nos espera, retirada de la línea municipal, la casa que proyectara el arquitecto Daniel M. Vidal hacia del año 1920. Verja, porche, ventanas desplazadas, y volúmenes
e entrantes y salientes le dan personalidad. Un pasaje privado con copones de mármol, en Libertad
f al 1200 y los lirios "art nouveau" de hierro y mampostería en Rivadavia 2031, se suman a la puerta

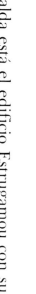

58

h

g

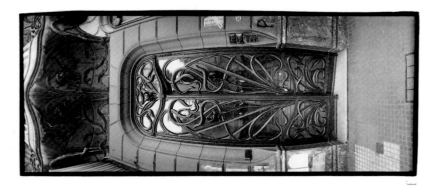

f

e

g de entrada a la casa de la familia Alzaga, en Cerrito al 1400, otro de los edificios preservado de la
demolición por sus méritos, al concretarse la am-
h pliación de la Avenida 9 de Julio; y al inesperado
chalecito de la calle Montevideo, en pleno Barrio
Norte, entre Guido y Quintana, que configuran
parte del catálogo de arquitectura que es nuestra
ciudad.

a

b

a En la calle 33 del Cementerio de la Chacarita está
e la tumba de Carlos Gardel. Allí el homenaje y el
  cariño popular materializan el recuerdo; nunca
  falta una flor en la mano del "Bronce que sonríe".

b En la calle Montevideo, junto al número 1386, entre las artesanías argentinas y los muebles de estilo,
  el homenaje de un porteño a Carlos Gardel. Un
  busto sonriente del Morocho del Abasto se apoya
  en un pedestal rodeado por los instrumentos de
  sus tres guitarristas, Barbieri, Riverol y Aguilar.
  Estos son los personajes de la ciudad.

c El Mercado de Abasto y la esquina de la calle Car-
d los Gardel. En la ochava ropa tendida, *grafitti* ro-
  deando la imagen del cantor; desconcierta el aban-
  dono del lugar. ¿Dónde están los fanáticos del
  ídolo popular? Un curioso contrasentido entre la
  realidad y la irrealidad.

a Una de las ventajas acreditables a los que tienen más
b de treinta años, es el poder recordar los viajes en
c tranvía. Subir los dos escalones, ver al guarda cortar
d los boletos y al caminar por el pasillo sentir el cre-
ciente ronroneo del motor mientras tomaba veloci-
dad. Pero no nos pongamos nostálgicos: en Caballito
los sábados y domingos los Amigos del Tranvía nos
permiten volver a ir al colegio... Gracias por haber
luchado largos años hasta conseguir que trajeran,
desde Portugal, la máquina del tiepo.

62

TEXTO PERTENECIENTE A LAS PAGINAS 64-65
La Plaza San Martín, desde lo más alto de las calles Maipú y Juncal, parece a punto de ser devorada por los edificios, pero no es así. El Kavanagh, el Plaza Hotel, el Círculo Militar, y el Palacio de la Cancillería a la derecha, son sus viejos conocidos y no serían los mismos si ella desapareciera.

a El sol de Buenos Aires se cuela por los árboles des-
dibujando sus troncos, los faroles, y muy al fondo
la Torre de los Ingleses, Obsequiada por los resi-
dentes británicos al país, al conmemorarse en 1910
el Centenario de la Revolución de Mayo.

b La estatua del General San Martín se inauguró el 13 de julio de 1862, sobre una sencilla y digna base de mármol; su autor fue el escultor francés Luis José Daumas, y miraba en sentido contrario al actual. En 1910 se le encargó al alemán Gustavo Eberlein el basamento que posee en la actualidad. Al elevarla, San Martín perdió un tanto de la cotidiana y afectuosa admiración de la proximidad.

c En nuestro ancestral eclecticismo, el neogótico no podía eludirse y fue la modalidad elegida para remodelar, hace largos años, al edificio que alberga hoy al Servicio Nacional de Parques Nacionales. Está en una pequeña manzana triangular, de las pocas que hay en la ciudad.

d El camino perimetral de la Plaza San Martín nos lleva en dirección al Plaza Hotel, invariable destino de las personalidades que llegan a la ciudad. A la izquierda, envuelta por el contraluz, está la fuente que los catalanes regalaron a Buenos Aires, obra de José Llimona, recordando con ironía cuando la quitaron del Parque Rivadavia por inmoral. . .

e Entre el follaje de la Plaza San Martín, cruzando la calle, el palacio Paz, hoy Círculo Militar, es una prueba de la influencia francesa en los porteños de fines y principios de siglo. Proyectado por el arquitecto francés Sortais, fue adaptado y levantado por el arquitecto Gainza. Una vez más la fusión entre la influencia y lo nacional.

a

b

c

d

a Para muchos fue, y sigue siendo, la Basílica del Santísimo Sacramento, el templo ideal para casarse. Nunca quedará lo suficientemente en claro si esta elección está inspirada en un sentimiento devoto, en la imponencia de sus naves o en la

b moda. Su presencia exterior únicamente se valora desde el pasaje privado existente entre el edificio Kavanagh y el Plaza Hotel. Este último avanza como la quilla de un barco en el encuentro de Florida y M.ª T. de Alvear (Charcas para los de antes).

c Caminando la primera hacia el sur, llegamos a Ha-

d rrods, quizá la última gran tienda superviviente en la ciudad, que compite sus definidas líneas arquitectónicas con el exótico stand de turismo en cuya fisonomía se confunden las vidrieras contemporáneas con un chinesco techo de pizarras afrancesadas, por aquello quizá de que el turismo es internacional. Al llegar a la esquina de Córdoba aparece, bien plantado, el Centro Naval que proyectara en 1914 el arquitecto Gastón Mallet.

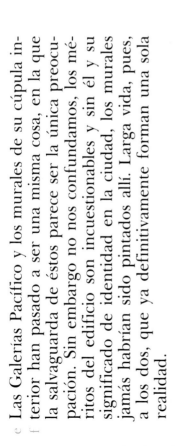

Las Galerías Pacífico y los murales de su cúpula interior han pasado a ser una misma cosa, en la que la salvaguarda de éstos parece ser la única preocupación. Sin embargo no nos confundamos, los méritos del edificio son incuestionables y sin él y su significado de identidad en la ciudad, los murales jamás habrían sido pintados allí. Larga vida, pues, a los dos, que ya definitivamente forman una sola realidad.

g

f

h

a La calle Florida ya no es lo que fue, por lo tanto veámosla hoy. En ella se mantiene felizmente en pie la casa proyectada alrededor de 1910 por el arquitecto Julio Dormal; no es ajeno a esto el que en su interior tenga su sede la Sociedad Rural. La nobleza de sus líneas académico-francesas sin alteración alguna, son un respiro entre las caóticas remodelaciones que han sufrido la mayor parte de los edificios del entorno. Las tres menos cuarto de un día invernal, jornada de pocas novedades a juzgar por los pocos lectores frente a la pizarra del diario La Nación; cruzando, la librería El Ateneo,

b una costumbre cultural. La calle es diferente de arriba hacia abajo; es otra escala. Las personas adquieren la condición de piezas de un desordenado ajedrez, donde cada movimiento es un jugador independiente.

c Entremos a Lutz Ferrando donde lo actual se codea con lo de tiempo atrás y la planta baja se ofrece a la posible curiosidad de las galerías superiores. James Smart es algo más que una tienda para hombres, es parte de la memoria de la ciudad con sus clásicas vitrinas, estanterías, columnas forradas de espejos y sus empleadas de blusa y pollera.

d Llegamos por fin a las Galerías Güemes, el edificio más alto de Buenos Aires en su tiempo al que precisamente borraron su fachada original sobre la calle Florida. Quien quiera ver como era, le recomendamos cruzar la galería y observar el frente de la calle San Martín.

e Alterando un poco el orden de las últimas imágenes, la marquesina de la casa central de la ex tienda Gath y Chaves, para llegar al final por el principio: la primera cuadra de Florida.

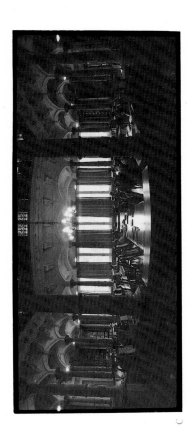

a El edificio de Obras Sanitarias en la manzana de
b las calles Córdoba, Riobamba, Viamonte y Ayacu-
c cho, se comenzó a construir en 1887. Como pocos,
representa a la arquitectura que en la Argentina
denominamos de la "generación del ochenta". Su
interior alberga grandes tanques de agua y ofici-
nas, disimulados en el exterior por una fachada
recubierta de piezas cerámicas fabricadas por la
firma Royal Doulton. Una mansarda de pizarras
corona la imponente construcción.

a El arquitecto Víctor Meano fue quien proyectó el edificio que la voz popular llamó "El palacio de oro". Todo fue poco en la elección de los materiales; gigantescas cariátides custodian su entrada principal, impertérritas desde hace tiempo a las ideas políticas, diversas, de quienes actúan en su interior. Los mosaicos del piso se convierten en verdaderas alfombras multicolores, que esperemos no vuelen como en *Las mil y una noches*, ya que por el momento sería imposible su reposición.

b Y el Congreso dio lugar a la Plaza del Congreso y
c al Monumento a los Dos Congresos, y junto a éste
d la fuente con los caballos encabritados, las figuras
e de los ríos y las aguas danzantes.

Pero como no podía ser de otra manera, allí están también las palomas y el fotógrafo de plaza, en este caso joven, y la infaltable palmera junto al bebedero en el que alguna vez nos habremos encaramado para tratar de llegar al débil chorrito.

a En los finales de nuestra "Belle Epoque", el arqui-
b tecto Gianotti proyectó y construyó un edificio que
significa una época de la ciudad: el de la Confitería del Molino. Con el paso de los años son ya un
símbolo su gran salón, las vitrinas, las medialunas y
el pan dulce, apilado para Navidad, formando par-
vas de cajas que anticipan las pasas, los piñones y
las frutas abrillantadas. La ornamentación interna
aflora al exterior, o viceversa. Lo principal es que
son coherentes; el diseño "art nouveau" no solo

enmarca de bronce las vidrieras, se materializa
también en decorativos relieves en la esquina, que
parecen decir a los caminantes, a los diputados y a
los senadores: "Aquí estamos, entren, somos dulces
y apetecibles...", y lo son.
c La estación Congreso del subterráneo abre una de
sus bocas precisamente junto a las vidrieras de la
calle Rivadavia; la otra, más solemne, lo hace junto
al Palacio Legislativo, pero desde allí también se ve
la Confitería del Molino.

88

a El edificio ocupado por el Correo Central, otra de
b las construcciones familiares a los porteños, frente
c a la calle Sarmiento y a la Avenida Leandro N.
Alem, luce la fachada académico-francesa que proyectara el arquitecto, francés, Norbert Maillard. Lo
hace frente a un gran espacio abierto, donde en el
siglo pasado estuvo el Muelle de Pasajeros. Tardó
años en ser terminado, teniéndose especial preocupación por los detalles ornamentales y los materiales empleados para ello.

f

e

d

a La figura simbólica del diario *La Prensa* parece querer ir corriendo a alcanzarle al Concejo Deliberante las últimas noticias. Otra posibilidad es que huya desesperada por un inesperado funcionamiento de la sirena del diario. O en definitiva digamos que es un símbolo, una memoria visual para los porteños, enclavado en la Avenida de Mayo y en el desconocido mundo de las terrazas.

b La entrada para carruajes y el patio cubierto de

c *La Prensa*, son parte de las entrañas de esa tan especial manzana de la ciudad.

d No es éste un premeditado concurso de cúpulas y coronamientos. Es más bien una poco habitual visión del entorno de la Plaza de Mayo desde los techos del diario *La Prensa*. La Municipalidad en el centro, la semiescondida cúpula de la Catedral a la izquierda, a la derecha la torre del City Hotel y, más abajo, la torre del Cabildo, querible imagen desde la infancia.

a

a Estación Perú, línea A. Inaugurada en 1913, fue un avanzado medio para viajar en aquel lejano

b Buenos Aires. En 1984 se la restauró en lo posible de acuerdo con su proyecto original, recuperando sus boleterías de hierro, bancos e iluminación.

c Las paredes están recubiertas de azulejos blancos con guardas de color, que cambia en cada estación. En los primeros años quienes no sabían leer utilizaban el color para saber dónde debían descender. Los espacios publicitarios están siendo ocupados por murales que reproducen los avisos comerciales aparecidos entre 1913 y 1915.

d Tres de los primitivos coches aún hacen el recorrido de la línea A de subterráneos; los otros son algo más nuevos, pero no tanto para que hayan desaparecido los barrotes de hierro enlozado de blanco y los asientos de madera que, entre nosotros, son anatómicamente más cómodos.

a La Plaza de Mayo, como se comprueba, puede ser un pacífico lugar para descansar. El sector de ella que vemos, antes de que se demoliera la antigua Recova, formaba parte de la entonces llamada Plaza de la Victoria; en su centro estaba originalmente la Pirámide.

b En el año 1912 se la corrió a ésta sobre rieles a donde está hoy, sufriendo impertérrita que periódicamente le escriban encima con aerosol; el cartel es un débil paliativo para la falta de respeto. En sus esquinas estuvieron hasta 1912 las estatuas hoy instaladas en la plazoleta San Francisco.

Desde el extremo oeste vemos, una vez más, las palmeras que con la Pirámide tanto han visto acontecer. Al fondo está la Casa Rosada cuya entrada

c principal, por la calle Balcarce, nos muestra la

d obra del arquitecto Francisco Tamburini y la ornamentación que él eligiera. Los granaderos son contemporáneos.

100

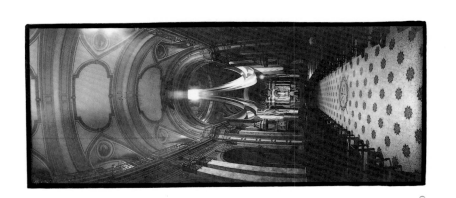

La tumba del General San Martín, en un recinto de la Catedral, especialmente proyectada por el arquitecto Altgelt en 1878, ampliando la capilla que había sido de Nuestra Señora de la Paz, alberga al sepulcro, obra de Carrière Belleuse. En el centro de la cúpula, la luz pasa a través de un vitral en el que aparece un sol.

Estoicamente de pie, *La navegación*, *La industria*, *La astronomía* y *La geografía*, custodian la antigua plazoleta San Francisco desde 1972. También lo hicieron con la Pirámide entre 1878 y 1912 y previamente, con varias hermanas y primas, coronaron el primitivo Banco de la Provincia entre 1874 y 1878. Viéndolas tan serenas nadie diría que han viajado tanto.

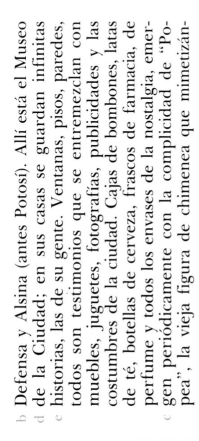

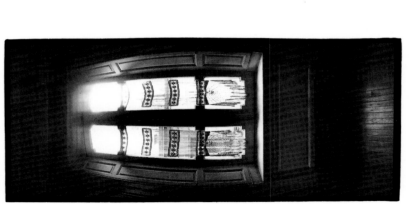

dose con cada exposición, se ha transformado en el talismán del lugar.

b Defensa y Alsina (antes Potosí). Allí está el Museo
d de la Ciudad; en sus casas se guardan infinitas
e historias, las de su gente. Ventanas, pisos, paredes, todos son testimonios que se entremezclan con muebles, juguetes, fotografías, publicidades y las costumbres de la ciudad. Cajas de bombones, latas de té, botellas de cerveza, frascos de farmacia, de perfume y todos los envases de la nostalgia, emergen periódicamente con la complicidad de "Popea", la vieja figura de chimenea que mimetizán-

a El ineludible mercado San Telmo, en las calles Defensa, Carlos Calvo, Bolívar y Estados Unidos, corazón del barrio y reducto de zanahorias, brótolas, pollos, salchichas, melones "rocío de miel"..., y sobre todo cotidiano testigo de la vida vecinal de la canasta familiar. Doña Ana, Manolo y todos los demás se mueven dentro de su decorativa y elegante estructura de hierro, que felizmente perdurará por formar parte del oficialmente protegido Barrio Histórico de la ciudad.

En un mare mágnum de personajes, colorido, cosas viejas y antigüedades, puesteros y visitantes de la feria dominical, asisten a su propio espectáculo. Los mimos en las calles peatonales y la música de los conjuntos se cuelan entre los 270 puestos y las exposiciones que desde su origen continúa organizando y controlando el Museo de la Ciudad. En esta atípica plaza la historia de la gente de Buenos Aires se despide de unos para hacer feliz a otros, comenzando una nueva realidad o ficción.

b Este casi palacio italiano, fue depósito de la Manufactura de Tabacos Piccardo. Detrás de su frente de ladrillos se instalará, previa restauración y adecuación, el Museo de Arte Moderno de la Ciudad de Buenos Aires. Quiera el Altísimo que sea a la brevedad. Está en la Avenida San Juan 350.

d En la antigua Plaza de las Carretas, luego del Comercio y hoy Dorrego, funciona desde 1970 y a propuesta del Museo de la Ciudad, la Feria de San Pedro Telmo.

a Estamos en la Feria de San Pedro Telmo, los filetes se abrazan al grueso tronco del ficus, porque es un ficus y no un ombú, como dicen los eternos "entendidos". El viejo arte popular de los porteños luce sus rutilantes colores coqueteando pícaramente con antigüedades y cachivaches en la feria dominguera. Al fondo el autor, don León Untroib, se pone al día con las últimas noticias.

b "Ay, desesperadamente. . ." la ronca voz de Elvira Ríos chorrea su susurrante bolero por la corneta de un fonógrafo a cuerda, entre relojes, distintivos y demás objetos, mientras una momentánea indiferencia del público los ignora por otros recuerdos.

c Todavía es temprano, es la hora en que los coleccionistas y comerciantes recorren con ansiedad, puesto por puesto, esperando el descubrimiento.

d Macramé se llama este anticuario y en él, como su nombre lo indica, se anudan los recuerdos superponiéndose los años, "cotizablemente".

e Entre cliente y cliente la espera, y por qué no el

f descanso; como en el café. El café es un reducto porteño por excelencia, desde él se "campanea" la vida, y aquí, especialmente, la bullanguera de la feria de antigüedades y cosas viejas. Cada pieza es una historia y la de los vendedores, muchas más.

g Botellones de cristal que destellan al sol, añorando quizá la luz de los comedores. "Isolina la corvina. . .", repite incansablemente el escritor lunfardo

h de chambergo y corbata moñito, fiel al: "yo la escribo y yo la vendo".

i ¡Y por último el rincón de los misterios. . . o de los milagros, para quien descubre semiescondido y en la penumbra, el hallazgo. Defensa 1015, otro inquietante rostro de Buenos Aires a la espera de un explorador.

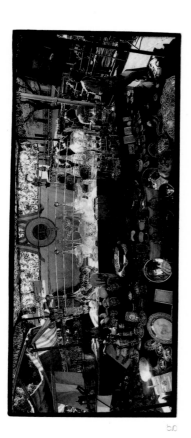

g

h

i

a La avenida de los copones en el Parque Lezama, flanqueada de palmeras, nos acerca un auténtico testimonio de lo que fue un parque de fines del siglo pasado. Don José Gregorio Lezama, su último propietario, sentía por él un especial orgullo, preocupándose personalmente de enriquecerlo con esculturas y árboles exóticos.

b A tres cuadras al norte del Parque Lezama, la autopista le infirió un tajo al barrio de San Telmo. Lo partió en dos. En la esquina de Balcarce y Cochabamba, al preguntarle a una vecina la ubicación de un negocio, del que solo recordábamos el nombre y no la dirección, dijo: "No sé, yo soy del otro lado de la autopista…".

c La Municipalidad de la Ciudad de Buenos Aires compró la casa y el parque a la viuda de Lezama en 1898, para abrirlo al uso público. El templo del Amor está en uno de los lugares más elevados, se recorta entre los árboles; nunca sabremos qué piensa de los años pasados, ni de las infinitas historias sucedidas bajo su cúpula y alrededores.

a

b

c

d

a La antigua iglesia de los monjes recoletos (siglo XVIII) es una de las pocas que no sufrió cambios en su fachada original, a lo sumo agregados que se sumaron, como es el caso de los azulejos "Pas de Calais" que cubrieron en el siglo pasado el coronamiento de la torre. La iglesia del Pilar y su vecino convento fueron los que dieron su nombre al barrio: Barrio de la Recoleta.

b Subiendo por la calle Carlos Calvo desde la Avenida Paseo Colón, los adoquines de piedra nos recuerdan que estamos en la parte vieja de la ciudad. Aquí la casi totalidad de las casas se levantan sobre la línea municipal; sin embargo, siguiendo el camino propuesto nos encontramos con una de las excepciones: la iglesia dinamarquesa que con su edificio de ladrillos marca su presencia en el lugar.

c Frente a Plaza Lavalle, está la sinagoga. Ella es otra presencia con identidad en la ciudad, vecina al Teatro Cervantes y al Teatro Colón. Son famosos los coros que cantan en sus ceremonias; quien esto escribe vivió pared por medio con el fondo del templo y da fe de su potencia.

d Frente al Parque Lezama, sobre la calle Brasil, está la iglesia ortodoxa rusa que levantó a principios de este siglo el arquitecto Alejandro Christophersen. Sus cúpulas bulbosas y sus mosaicos, por no mencionar su interior, son una prueba más del cosmopolitismo porteño.

a La Boca es una inmejorable escenografía con sus galpones de ladrillos que solo compiten con los de Barracas. Por último, y además inevitable, las casas italianas con ropa tendida hasta en la vereda; no nos olvidemos de este barrio populoso que es algo más que un lugar turístico.

b

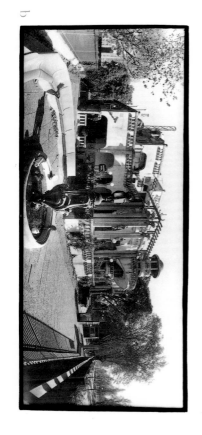

a Noches de cerveza en el Munich fue durante años, desde la década del 20, una costumbre porteña. El arquitecto Andrés Kalnay diseñó el edificio, los vitrales y cada uno de los detalles que se transformaron en imágenes familiares para una generación. Decayó la Costanera Sur y cerró el Munich, fue una lástima. Hubo amenazas de demolición, pero un nuevo destino lo salvó de la muerte. Hoy, restaurado, es el Museo de Telecomunicaciones, desgraciadamente sin cerveza.

c Dos son los símbolos porteños por excelencia, uno más que el otro por su fácil acceso: el Obelisco y la fuente de Lola Mora. Al primero se lo criticó por feo y por inútil; a la segunda por escandalosa. La historia puso las cosas en su lugar. *La fuente de las nereidas*, que es su verdadero nombre, es ya con el Munich inseparable de la Costanera Sur.

a 122

a La Escuela De La Cárcova es otro de los rincones
b desconocidos de la ciudad. Solamente los que estu-
c dian Bellas Artes se mueven familiarmente por los
d talleres y el Museo de Calcos. Réplicas directas de
   las maravillas de la Antigüedad que han servido de
   modelos a cientos de estudiantes, se acompañan
   confraternizando sin importarles la diferencia de
   edad, mientras el *David* de Miguel Angel, como en
   el centro de la Creación, acapara la luz que llega
   de lo alto. La penumbra interior contrasta con la
   luminosidad serena del exterior. La Costanera Sur
   es un inesperado reducto que tiene mucho de recuerdo, pero aún mucho más de porvenir.

EXPLICACION

Hace ya varios años que me apasionan las máquinas fotográficas antiguas. Quizás hayan sido el encanto de su historia y su técnica primitiva los que, sin querer, me llevaron a reunir lo que llamo mi "colección viviente", integrada por más de sesenta cámaras restauradas.

En una ocasión, mientras realizaba mi habitual recorrido por anticuarios y negocios especializados, me detuve maravillado frente a una vidriera donde se exhibía, entre centenares de objetos, una máquina Panon Widelux panorámica modelo F-V. Pasé varias veces por el negocio para mirarla desde la vereda sin animarme a entrar; finalmente me decidí, pagué por ella unos diez dólares y me la colgué del hombro con la felicidad de un chico.

Cuando logré hacer funcionar dos de sus tres velocidades partí a sacar mi primer rollo con película blanco y negro.

Al revelarlo el resultado fue decepcionante: foco en el centro del fotograma y escasa definición en los lados. Luego de varias pruebas comprendí que se trataba de un problema de carga que una vez solucionado me brindó imágenes cada vez más atractivas: entonces empecé a descubrir sus cualidades y sus limitaciones.

Antes de profundizar en detalles técnicos, me gustaría relatar el entusiasmo que sentí por estas imágenes que incluso teniendo una relativa calidad fotográfica me atraían por su insólito "clima", que compensaba cualquier deficiencia. Por eso quise mostrarle algunas fotos a mi amigo José María Peña y saber si le parecían válidas para un nuevo libro sobre Buenos Aires.

casa. Además, es difícil prever si el horizonte resultará cóncavo o convexo, ya que no se percibe la eventual distorsión al mirar por el visor.

Finalmente, y sin excluir otros problemas, están los ocasionados por el hecho de trabajar con tres velocidades y cinco diafragmas, teniendo en cuenta lo que significa carecer de velocidades lentas y rápidas en algunos casos.

Con esta máquina trabajé en muchas ocasiones fotografiando lugares con el sol de frente, exponiendo para la sombra, a fin de lograr que las luces frontales rebasaran el follaje de los árboles o actuaran suavizando la imagen confiriéndole un aspecto por momentos más romántico, irreal y nostálgico.

En síntesis, me ocupé más "del clima" que de la calidad, sin resignarla dentro de lo posible, seducido permanentemente por la magia y el encanto de lo inesperado y lo casual.

Las palabras que me atreví a escribir, lejos de ser una justificación, pretenden esclarecer a los fotógrafos las razones que me motivaron y la forma en que concreté las fotografías que ilustran este nuevo libro.

Quisiera que estas fotos alentaran a los jóvenes a rescatar del olvido y a usar sin prejuicios esas máquinas de anónimas o famosas marcas que polvorientas se conservan entre los recuerdos del abuelo, sabiendo de antemano que son útiles y que usándolas con dedicación y cariño les darán satisfacciones con creces. Junto a Peña y a mi equipo de colaboradores les ofrezco ahora estos "Rincones".

ALDO SESSA

Su aprobación me impulsó a seguir adelante. Pensé intercalar el material panorámico con 35 mm de mi archivo; tomando esto como base armé el primer "mono": panorámicas y 35 mm, con el fotograma copiado en su totalidad y los bordes irregulares. Viajé a Nueva York para intercambiar ideas con la fotógrafa americana Lisl Steiner, a quien con Peña nos une una gran amistad. Lisl consideró inconveniente mezclar las fotos panorámicas con las de 35 mm para evitar la pérdida de unidad visual.

Como Lisl Steiner es la colega que más ha influido en mi fotografía, no dudé en aceptar su consejo. Por estas razones, el libro que debió ser 35 mm con panorámicas, terminó convirtiéndose en un libro de panorámicas sin 35 mm.

La máquina Widelux se parece mucho al clásico "cajoncito": tiene tres velocidades (1/10, 1/110 y 1/250), cinco diafragmas (2.8, 4, 5.6, 8 y 11), foco fijo y visor indirecto. Me sentí magnetizado porque a través de su visor los lugares que antes había fotografiado se veían diferentes, pero no puedo negar que los inconvenientes técnicos que plantea un equipo tan elemental me hicieron sentir siempre como "domando un potro salvaje".

En primer lugar, porque mi querida Widelux fue diseñada para sacar fotos de paisajes panorámicos, de ahí la dificultad de obtener tomas como las que aquí presentamos, especialmente en los planos cortos y de detalle. Otra complicación fue haber copiado toda la superficie del negativo, teniendo en cuenta que el visor indirecto hace que no se fotografíe exactamente lo que se encuadra.

Hay que ir aprendiendo a conocer lo que puede "aparecer" o lo que la máquina "come" antes de apretar el disparador, sobre todo en los primeros planos, porque no tiene corrección de paralaje para evitar la aparición de elementos no deseados en el encuadre; por ejemplo, la eliminación de los pies de una persona o la base de una

JOSE MARIA PEÑA

Arquitecto egresado de la Facultad de Arquitectura y Urbanismo de Buenos Aires.

Integrante del equipo "Arquitectura Argentina de los siglos XIX y XX", Instituto de Arte Americano e Investigaciones Estéticas de la FAU (UNBA) (1960-1974).

Restauraciones efectuadas: Capilla San Roque, Buenos Aires, en colaboración con el arquitecto J. Genoud y el profesor Héctor Schenone (1964-1965); Basílica de San Francisco, Buenos Aires, en colaboración con el arquitecto Jorge Santas y el Ministerio de Obras Públicas de la Nación (1965-1967). Realizó un anteproyecto de restauración para la Basílica de San Francisco de Santiago de Chile, por encargo de la UNESCO (1968-1969).

Es director del Museo de la Ciudad, dependiente de la Secretaría de Cultura de la Municipalidad de la Ciudad de Buenos Aires, desde su creación en 1968 hasta la fecha. Presidente de la Comisión Técnica para la Preservación de las Zonas Históricas de la ciudad, desde su creación en 1979 hasta su transformación en la Comisión para la Preservación de Areas Históricas en 1983, siendo actualmente miembro de la misma. Vicepresidente de la Comisión Nacional de Museos, Monumentos y Lugares Históricos desde 1984.

Es autor de diferentes publicaciones: **La ornamentación en la arquitectura de Buenos Aires: 1800-1900 y 1900-1940; Alejandro Virasoro, un precursor de la arquitectura moderna en Buenos Aires,** ambos en colaboración con José X. Martini; **Escultura Buenos Aires,** en colaboración con E. Santaella; **Casas italianas de Buenos Aires; El azulejo, un motivo ornamental muy caro a los rioplatenses; Buenos Aires anteayer; Buenos Aires ayer;** y conjuntamente con Manuel Mujica Lainez y Aldo Sessa, **Letra e imagen de Buenos Aires, Más letras e imágenes de Buenos Aires** y **Nuestra Buenos Aires.**

Además, ha escrito numerosos artículos, prólogos, notas en diarios y revistas, así como también asesoró técnicamente en el largometraje **Buenos Aires, la tercera fundación,** dirigido por Clara Zappettini.

ALDO SESSA

Nació en Buenos Aires. A los diez años emprende una extensa labor creativa en dibujo y pintura en el taller "De Ridder"; luego se especializará en artes gráficas, diagramación, audiovisualismo y fotografía. Sus obras integran colecciones privadas y museos argentinos y de otras naciones. En 1976 un cuadro suyo, "Antes del Principio" (tríptico, 6 x 2 m), fue distinguido al donarlo el gobierno argentino al de los EE.UU. con motivo del bicentenario de este país, para su exhibición permanente en el Centro Espacial Lyndon Johnson, de la NASA, en Houston, Texas. Otro tríptico, "Creación del Universo" (5,10 x 2,10 m) fue donado en 1978 al Planetario de la Ciudad de Buenos Aires "Galileo Galilei". En 1980 su cuadro "Humorum" (2,40 x 1,60 m) fue solicitado para integrar la colección del "National Air and Space Museum".

Exposiciones individuales de pintura: Galería Bonino, Buenos Aires (1972, 1973, 1975 y 1978), Galería Bonino, Río de Janeiro (1972), Bonino Gallery, Nueva York (1976), Drian Galleries, Londres (1974), Atelier Internacional, Buenos Aires (1975), Pedele, Punta del Este (1975, 1977), Museo de Arte Moderno de Buenos Aires (1976), Planetario de la Ciudad de Buenos Aires "Galileo Galilei" (1978), Galería Ta-Nisia, Punta del Este (1979), Fundación Banco Comercial del Norte, San Miguel de Tucumán (1978), Planetario de la Ciudad de Buenos Aires "Galileo Galilei" (1980), Galería Ficciones, Buenos Aires (1980), Museo de Arte Americano, Maldonado, Punta del Este, Uruguay (1981), Rizzoli Gallery, Nueva York (1981), Hayden Planetarium, Nueva York (1981), Griffith Observatory, Los Angeles (1981), American Association for the Advancement of Science, Washington (1982), Galería Rubbers, Buenos Aires (1983), La Compañía (1984), Instituto Argentino de Cultura, Bonn (1986), Omniversum Planetarium, La Haya (1986).

Exposiciones colectivas de pintura: Galería Müller (1952), Salón de Artes Plásticas Manuel Belgrano (1972, 1978), Premio Marcelo De Ridder (1973, 1974), Museo de Arte Moderno - IV Salón Italo de Pintura (1973), Galería Bonino (1972,1973,

(1974, 1975, 1976, 1977, 1978, 1979, 1980 y 1984), Museo de Arte Moderno "Vida Argentina en Fotos" (1981), Kunsthaus Museum, Fotografía en Latinoamérica, Zurich, Suiza (1981), Galería Lutz Ferrando, Buenos Aires (1981), 1ª Bienal Internacional de Arte Fotográfico, San Pablo, Brasil (1983), Casa Pardo, Buenos Aires (1984), Teatro Municipal General San Martín, Fotogalería, "El San Martín en imágenes", Buenos Aires (1985).

Diseño textil: Sábanas y manteles, Amat S.A., Buenos Aires (1978), remeras y buzos Aldo Sessa, Buenos Aires (1984, 1985 y 1986). **Diseños para vajilla:** Hartford Arte, Buenos Aires, "Ovus arenæ" y "Ovus maris" (1984), Canopus (1985), Henri Bendel, New York, "Canopus" (1986). **Diseños para decoración:** Henri Bendel, New York, cajas en mármol (1986). **Sellos postales:** Correo Central de la República Argentina, "75 Aniversario del Teatro Colón", Buenos Aires (1983), "Arquitectura e Historia", Buenos Aires (1986). **Programas del Teatro Colón:** Fotografías de tapa.

Libros de arte ilustrados: Cosmogonías (1976), poemas de Jorge Luis Borges, ilustraciones de Aldo Sessa. **Letra e imagen de Buenos Aires** (1977), textos de Manuel Mujica Láinez, fotografías de Aldo Sessa. **Más letras e imágenes de Buenos Aires** (1978), textos de Manuel Mujica Láinez, fotografías de Aldo Sessa. **Arboles de Buenos Aires** (1978), poemas de Silvina Ocampo, fotografías de Aldo Sessa. **Fantasmas para siempre** (1980), textos de Ray Bradbury, ilustraciones de Aldo Sessa. **The Ghosts of Forever** (1981, edición U.S.A.) textos de Ray Bradbury, ilustraciones de Aldo Sessa. **Nuestra Buenos Aires** (1982), textos de Manuel Mujica Láinez, fotografías de Aldo Sessa. **Tucumán** (1982), introducción y selección de textos de Carlos Páez de la Torre, fotografías de Aldo Sessa. **Jockey Club, un siglo** (1982), texto de Manuel Mujica Láinez, fotografías de Aldo Sessa. **Vida y Gloria del Teatro Colón** (1983), texto de Manuel Mujica Láinez, fotografías de Aldo Sessa. **Más Vida y Gloria del Teatro Colón** (1985), texto de Silvina Bullrich, fotografías de Aldo Sessa. **Rincones de Buenos Aires** (1987), textos de José María Peña, fotografías de Aldo Sessa.

1974 y 1975), Salones Nacionales de Pintura, Buenos Aires (1974, 1976, 1977, 1978, 1980), Galería Arte Contacto, Caracas (1974), Museo de Arte Moderno "El mundo de Julio Verne" (1979), Museo de Arte Moderno "40 Pintores de la Década del 70", Buenos Aires (1981), Galería Ta-Nisia, Punta del Este, Uruguay (1981), The American Society of the River Plate, Embajada de EE.UU., Buenos Aires (1981), Centoira Galería de Arte, Buenos Aires (1981), Galería Rubbers, "Autorretratos", Buenos Aires (1981), Museo de la Fundación Rómulo Raggio, Buenos Aires (1983), Artesanía de Arte y Diseño Argentino, Museo de Arte Decorativo (1983), Galería Palatina, Buenos Aires (1984), Galería Sur, Punta del Este, Uruguay (1985), Casa Pardo, "Pintura Argentina", Buenos Aires (1986), Galería El Mensaje, "El otro Borges", Buenos Aires (1986), Salón Dorado del Teatro Colón, "Sexto salón anual de artistas plásticos", Buenos Aires (1986), Casa Pardo, "Heterodoxia", Buenos Aires (1986), Fundación Fortabat, "Premio de pintura y escultura Fundación Alfredo y Amalia Fortabat", Buenos Aires (1986).

Exposiciones individuales de fotografía: Galería SNOB (1964), Galería Lirolay, Buenos Aires (1965), Center for Interamerican Relations, Nueva York (1970), Fotoclub Argentino, Buenos Aires (1973), Museo de Arte Moderno, Buenos Aires (1977), Museo Provincial de Bellas Artes, Tucumán (1979), Museo de la Ciudad, Tucumán (1982), Salón Dorado, Teatro Colón, Buenos Aires (1983), Museo de la Ciudad de Buenos Aires (1984), Jockey Club, Buenos Aires (1984), Planetario de la Ciudad de Buenos Aires "Galileo Galilei", Buenos Aires (1984), Congreso de la Nación, Salón Rosa de la Cámara de Senadores, Buenos Aires (1985), Teatro Colón, Salón Dorado, Buenos Aires (1985), Instituto Argentino de Cultura, Bonn (1986), Instituto Italo Latinoamericano de Cultura, Roma (1987).

Exposiciones colectivas de fotografía: Salón Panamericano Argen, Buenos Aires (1965), Salón de Invierno del Fotoclub Argentino, Buenos Aires (1965), Certamen Nacional de Fotografía "Argentina al Mundo", Teatro San Martín, Buenos Aires (1965), Salón Nacional de Fotografía, Buenos Aires

WHAT IS A HIGHLIGHT?

What is a highlight? It may seem ridiculous to try to define it, but... short reckoning makes long friends, and this book is intended for our friends, since whoever has an interest in Buenos Aires, or just curiosity, is already our friend. The dictionary defines a highlight as being a "conspicuous place or area", and this is precisely what we will try to highlight for you, the hidden corners of our city. We agree with those who will say that much of what we will see is obvious, but experience has also taught us that the more obvious, the less known.

In the series of books on Buenos Aires made in collaboration, by Manuel Mujica Lainez, Aldo Sessa and myself it was the first one who wrote the words; unfortunately this is no longer possible and, at Sessa's request, I took over this responsibility, feeling certain that Manucho will smile condescendingly, not lacking in mischief and complicity, to know how much we remember the comments he made when we worked together.

This time Aldo Sessa has chosen a wide-angle camera of the '50's to photograph Buenos Aires; its use requires a steady hand since the mechanisms take some tenths of a second to pan the focused image. The panoramic views will thus yield unexpected visions: the Rosedal lake will appear boundless, while the Plaster Cast Museum looks like an Orson Welles' setting.

Whoever wants to get to know a city chooses any outlook, no matter how absurd it might seem. Such is the case of the view in the vicinity of La Prensa and the City Hall, or the panorama of the domes near May Square. Corners stretch upwards or sidewards like a cat, homely and ordinary, but somehow enigmatic. This vision, sometimes strained, enhances even more the chosen spots. Such is the case with architect Alejandro Virasoro's house on Agüero Street, that appears to be at the corner while it is really in the center of the block; those who look at it for the first time should know about this, and those who already know it will probably discuss the invention of a landscape. They are both positive reactions that contribute to the realization of the identity of a place.

But let us not intellectualize the proposal; the images speak for themselves and you will be creating your own world thanks to

our much criticized, discussed and dearly beloved Buenos Aires.
JOSE MARIA PEÑA

Pages 10-11

Enormous and imposing, their finger-like roots holding on to the soil, they seem to be saying: "We've been here a long time, we've seen the Alvear Palace Hotel grow up, the Dosse Palace (as it was called) tumble down and apartment buildings rise. Alvear Avenue is not what it used to be, now it is what it is, go ahead, as long as it is all for the best.

The rubber-tree in the Recoleta, which kept the population in suspense because of its possible death when the underground parking was being built, is fortunately still standing there, joining its urban identity to that of "La Biela" café, less ecological and more frivolous, but as "porteño" as the other.

In the Recoleta, next to the Buenos Aires Cultural Center, we can find this column, which is not commemorative. It is simply the air-duct of the underground toilets. The four wrought-iron lamps surrounding its upper part have been removed. They were there till the '70's. Its solitude, mutilation and slimness could not deter political graffiti.

The renovation work of the old General Viamonte Home for the Aged, to alter it into a Cultural Center, brought about changes in the architectonic structure of the place. The traditional Renaissance wall of the Recoleta seems to have objected, part of it tumbled down, dragging in its fall one of the statues that crowned it. We did not read in the newspapers anything about this "suspicious suicide".

Pages 12-13

In the heart of the city of the dead, the Christ by Zonzo Briano is at the crossroads of all the diagonals. Characters and allegories in bronze and marble grow wrinklessly old with only a smog make-up.

Neo-Gothic could not be absent from La Recoleta cemetery, a real architecture catalogue. The Gelly y Obes family tomb stands proudly six steps above the ground.

In the cemeteries, designers' imagination has been able to fly more freely than in other places; it is not just whimsical to speak about funerary architecture. The tomb of Federico Leloir's family is a good example of this: a hermetic construction crowned by a transparent chapel hiding a dome in the interior; it is the perfect sepulcher for the so-called "generation of the '80's" in Argentine history.

Some of the oldest tombs are rather abandoned, their plastering has crumbled down and vegetation has grown in the brickwork interstices. Such is not the case with President Carlos Pellegrini's. In the monument he is sitting and his right arm rises in silent speech for posterity, while the Republic stands on the base accompanying him.

But as it could not be any other way, traditional styles live together, so to say, with contemporary designs in the narrow streets, as the unquestionable proof of the passing of time.

Pages 14-15

Looking at this photograph of the monument to General Mitre, someone might wonder: Why was it taken from the rear? Our answer is: Why not? In 1926 sculptors Rubino and Calandra worked creatively on all its four sides. We are definitely convinced that there is charm in the back of the necks.

A lot has been said about the "Frenchizising" of Buenos Aires, which is true to a certain extent, but very rarely is it mentioned that the influence suffered local conditioning. Our character and customs reinterpreted it. The balustrade of Mitre Square, with its street lights lining the broad walk, becomes integrated with the trees of the site.

Do not believe that the staircase has become too big for General Mitre; in point of fact, he is already far away, galloping in history.

Pages 16-17

Porteño medieval, with the mysticism of its ogives, boasts one of its most sparkling examples in the building that stands proudly on Las Heras and Azcuénaga. It is unfinished, with false legends to that account. Stripped of its zinc cresting it is a landmark in Buenos Aires life. Las Heras Street Cathedral, as it is often called, was designed by architect Arturo Prins in the second decade of our century and it was meant to house the Law School. At the present time it is occupied by some departments of the Engineering School. In the interior, magnificent plastic Neo-Gothic caissoning go unnoticed to those who work there or walk along the sidewalks surrounding it.

Alejandro Virasoro was one of the pioneers of modern architecture; his performance corresponds with the end of the "Art Nouveau" period. The panoramic photograph strains the image making it appear as if this house, his own, were at the corner, which is not so. The façade is simple, the volumes neat and almost devoid of any ornamentation, all of which gave birth to the nickname "No Nexus on the Western Front", after Erich Maria Remarque's contemporary novel.

Detail of ome of the angles of the house at 2038 Agüero Street. Its present owners have not fully appreciated it and have placed air-conditioners that destroy the elegance of the vertical lines. It is a solution for the air that would certainly have made architect Virasoro breathless.

Pages 18-19

"Tranquility in the City" could be the title of this image. It is the corner of Centeno and Ocampo Streets in "Palermo Chico"; the red, black and white house prolongs the dignity of its former owner Dr. Miguel Angel Cárcano, possibly possessing his same reserve and sense of humor. Behind the house, the high-rise apartment building breaks the coherence and scale of a very particular quarter of the city. Let us hope one swallow does not make summer and alter the "meteorologic-urbanistic" season.

A replica in a different context, Grand Bourg with a palm tree and lots of sun. The little house must suffer to feel so lonely and overwhelmed by so many bronze plaques that seem to separate it still more from its neighbors. Curiously enough this custom of paying solemn tribute with the purpose of venerating really sets it apart instead. What would San Martin think about this?

Another wandering monument in Buenos Aires is the one raised in honour of General O'Higgins. Its original location was in the small square between Rodríguez Peña and Pizzurno Streets.

Today it stands in the same square where the Chilean Embassy was built.

These friends are also travelers in their own way. Looking at this photograph, who could deny that our country is a melting-pot? This corner of a square in the "porteño" autumn has brought together, rather compulsively, this heterogeneous group thoroughly aware of their rights to the place.

Pages 20-21

What used to be Atvear Avenue, now Libertador Avenue, would have been surprised to see the height of the buildings that flank it.

There still remain some witnesses of those past times however, their French exteriors are testimonies of the preferences of a period. Today they are museums, the Decorative Art Museum, or embassies, the Italian or Spanish ones. All of them make up the identity of the city.

Pages 22-23

"El Lazo", so called in 1949, is a dead-end alley rather than a street; it is a sprout of Salguero Street when it crosses Cabello Street (T.N. cabello = hair, thus the ensuing play on words). It is a split hair. As a matter of fact the artist responsible for the photographs of this book has his studio there. It is his own world.

After photographing the city for so long, he decided to adopt pieces of its buildings as his workmates. Mansard windows on the ground floor, zinc friezes, figureheads and plants, lots of plants, including the old grapevine, which was there when he first came, have taken possession of the patio.

It is difficult to describe the studio itself because it has also been invaded by pieces and objects that used to be part of something and have now been placed among his paintings, photographs and books. It is a real and warm place for creation and realization, a much ampler way of implying work.

Pages 24-25

Whoever looks at this picture can never imagine that this building was called "Palacio de los Patos" (Eng.: Ducks' Palace) not precisely because there was a pond where ducks swam, but rather the name originated in the fact that the building was first occupied by families who had suffered a financial set back. We should explain that in colloquial Spanish "patos" (Eng.: ducks) is the name given to people who are broke. The building was designed by architect Senillosa and it stands at 3050 Ugarteche Street.

A corner of Buenos Aires where a small playground was set up, and later degraded by insensivity and lack of respect towards fellow neighbors, who, in spite of that, should try to recover it. This special building at the corner of Malabia and Cabello calls our attention even today. We can well imagine what it must have been like in 1911 when architect Pidgeon built it. Its exterior combines traditional bricks with rough-textured ones specially made for the relief decorations.

Pages 26-27

Garibaldi has been reining in his horse in honour of Buenos Aires for eighty-three years now, since the monument was inaugurated there in 1904, across Palermo Gates and the Zoological Gardens. A few meters away, other horses, less spirited and with their hoofs on the asphalt, now wait for a customer willing to go for a ride in the gardens. In the small animal world, the feline pavilion, with the high bars and French domes, built in 1900, is another exotic touch we will never forget; neither will we forget the unceasing comings and goings of tigers and other animals. School children visit the Zoo accompanied by their teachers, they write down their thoughts on a note book and they comply with the customary rite of feeding crackers to the animals. The music kiosk still fulfills its traditional function and it is also the stage where children get together for team work.

Pages 28-29

The photographer photographed beside the Venus of Milo. They are both standing and seemingly none has arms; she because she lost them a long time ago, he because his customers have stopped coming. The Zoo is almost empty, it has not been taken over by youthful enthusiasm yet.

It is early in the morning, the sun filters through the branches, and the watering hose, not fitting the tap tightly, drips forming a pool in the walk. In the background stands the "Bears' house" in Neo-Gothic style with battlement, moat and entrance bridge. It was built in 1897 and it is one of the oldest pavilions of our irreplaceable Zoo.

This poor polar bear appears resigned to its captivity in a city where the climate, not even in the case of eventual meteorologic changes, would approach what he is entitled to have by natural right.

Pages 30-31

In the last century it was unthinkable to have a public garden without a green-house. There used to be one in our Botanical Garden. An iron staircase goes up to the footbridges in the roof, the forbidden obsession of generations of children, enhanced by the suggestively exuding atmosphere from the inside.

The statues of Venus, Diana and Mercury were familiar ornamental characters in those days, when ancient history and mythology were subjects that aroused the imagination of old and young alike.

The house of the Botanical Garden, as it was often called, was the seat of the National History Museum at the end of last century. Now it houses the General Department of Promenades; it is a heavy burden observed with resignation and knowledge of the matter by the marble old man called "The First Cold Days" by sculptor Miguel Blay.

Pages 32-33

People are generally convinced that the Country Fair (Sp. Exposición Rural) is just a cattle fair that is held at the "Palermo Exhibition Grounds" (Sp. Predio Ferial de Palermo)... but in fact it is much more than that, rather it is something too obvious to be appreciated in its real meaning. It is the possibility for Buenos Aires inhabitants to get in contact with those responsible for that activity, so mysterious for city dwellers: the simple and difficult labour of man and nature. Let us put it in simpler words, it is the presence of the bulls, the "criollos" in their finery with their horses, sheeps; in short, they bring the smell of the fields into the city.

Pages 34-35
The Palermo Gardens were designed on the grounds surrounding Rosas mansion. Argentine irrepressible and permanent obsession to be up-to-date landed there in the 1870's, and from that time onwards new ideas were added, all within the frame of picturesqueness, all the fashion at the end of last century. From the bridge with wrought-iron railings we can see the kiosk that enters the lake; it is dry there. A new version of picturesqueness.

Pages 36-37
There are some spots that resemble a tangled forest not lacking its enchanted pavilions with stairs, galleries and roofs with sharp-pointed tiles; they are framed by palm trees, sphinxes and marigolds, of course. Palermo is one of the marvels of Buenos Aires, it is right there waiting to be enjoyed.

Pages 38-39
Palermo is mainly nature; its trees are irreplaceable characters that enhance each corner with their presence. It is so with or without sun, but something special happens on misty days. It envelops everything, creating planes in different shades of black and grey; the background fades away and the foreground is outlined as in a shadow-play. The images become tapestries we feel like treasuring. The Patio Andaluz is a riot of color amid the green; its glazed tiles on the ground and walls, the fountains, the pergolas make it a landmark in this park. It is so since the beginning of the 1930's, and it was the same with the exotic lake pavilion which was inaugurated in 1901 and stood in the same site. Meanwhile Sarmiento still worries about the Argentines learning to read and write.

Pages 40-41
It has rained in Palermo, the drops fell on the jacarandá-tree tops and the violet-colored flowers have covered the walk. Big ponds bring the sky close to the ground, while the benches become strategic posts for a forever renewed visual delight. What would

Juan Manuel de Rosas think if he walked today in this park, which used to be the garden of his house, and found it so changed?

Pages 42-43
The lake duplicates the images of Buenos Aires at dusk to make us believe we have two Planetariums; but it not so. This one situated in Palermo is already difficult to maintain and its complex mechanism is a source of worry for those responsible for bringing stars and constellations nearer to us.

Pages 44-45
The lion and the lioness have moved their realm to non-exotic Buenos Aires. Nevertheless they can find there proud palm trees. Once more the city has shown its determination to welcome with open arms all who come to its shores, regardless of their origin. The proud lions stand now in Palermo and the artist was Nicolas Cain.

Palermo grounds were originally marshland; they were drained by Juan Manuel de Rosas when he built his house there. Some time later, when the park was inaugurated in 1875, it was decorated with different species of plants and trees and fitted up with lights, benches and sculptures; most of it is still there.

Pages 46-47
Two different worlds, the roofed-in staircase and the open sky. The first image is a proof of intemperance, and the second world represents communication; both present realities at the 3 de Febrero railway station. The iron bridges are tangible proof of the so-called industrial revolution in the combination of their profiles and rivetings.

The enormous empty spaces of 3 de Febrero station, with the imitation-stone walls and columns, grow clean and desertd. Not even a paper seems to fly across its tiled floors; fences and turnstiles are useless hurdles for non-existent passengers. Only the sun in its vitality streams happily in, disturbing the pompous solemnity of the place. We wonder what it looks like at night.

may have been caused by these majestic trees, whose trunks peel off as decoratively as its leaves when they fall onto the lawn. We believe Buenos Aires gets on quite well with its plane trees, at least so it seems in Belgrano Square across the Inmaculada church.

Pages 54-55
The sun sets in Barrancas de Belgrano Square; as almost every day, shadows stretch sleepily. There stands the music kiosk, solitary at this moment, its fine iron columns hold the roof that appears swollen as if melodies of the music bands had been stored there for years: waltzes, polkas, mazurkas and now, of course, rock music; when the bulb explodes it will be spectacular.

Pages 56-57
The old villa, its house surrounded by the garden is now just a literary souvenir. Nevertheless, searching our city we can still find some of them. There it is, with its columned veranda up some steps; the unfailing palm trees flank it, and in the crowning the property seal: "Villa Rocatagliata. 1900". Those who want to see it should go to 2601 del Tejar Avenue. On approaching the surrounding fence they will probably hear barking anticipating a guardian dog.
The pedestrian lane resembles a long cage with an entrance and an exit; you chose it to be above the rest, not precisely out of pride but for the sake of physical preservation.
The "House of the Rocks". Those who are interested in the things of this city know it by that name. It stands at 66 Cabildo Avenue. The plastering becomes superimposed rocks on the walls or tree trunks in a balcony, now ruined by the passing of time.
An exotic garden with banana trees, and creeping plants and palm trees enhances the mystery atmosphere attached to what is out of the ordinary.

Pages 58-59
In any city there are hidden corners, as well as almost obvious places. These will not be a surprise for the curious walker; nevertheless, looking at them again through our lens will be like reviving the experience. At 4200 Guatemala Street, we find this

Pages 48-49
The academic gardens of the Racetracks (Sp.: Hipódromo) could not do without decorative sculpture. There we find the romantic Belle Époque young girl that stands beside the building built by architect Dujarric, and shares the weekly hubbub with the unfailing Diana the Huntress, who uselessly tries to escape the unpleasant papers.
At the races the show is complete, it is part of a whole: the enthusiasm at the parade of the favourite, the struggle to get to the finish, the time to mediate between two races and the indispensable actors of the show. Some people come out feeling happy with the performance.

Pages 50-51
This was the customary style at the end of last century and at the beginning of the present one; it looks ghostly nowadays. Fortunately what we see here is no ghost: this traditional Martineau house is still with us with its reliefs and moulds for the ornament of buildings in the academic and "Frenchizised" style we are still familiar with.
Marie Antoinette, the Virgin and the Child, balustrades, front parts of stoves, nothing seems impossible for Martineau, deeply in love with and respectful of his trade, which is still more alive than might be imagined.
In the patio small fauns live together with plant pots, capitals and reliefs, waiting for the garden, the fountain, the wall where to perpetuate ancient history. It is a modern factory of souvenirs from the past.

Pages 52-53
The "Round Church", as it is called, is one of the oldest constructions of the site; it was built in the 1890's and designed by the Canale architects, father and son. Its huge dome was, for a long time, the most imposing presence in the neighborhood.
It was not so long ago when one municipal authority or several, thought it necessary to do away with the plane trees of Buenos Aires city on the grounds that they cause allergies. We do not know, statistically, how many deaths, severe or benign cases

patio facing the street to exhibit the fountain and create privacy for the apartments. On Juncal and Esmeralda Sts. stands the Estrugamou building with its carriage entrance and the Victory of Samothracia looking southwards. At 5156 Gorriti St. we come across the house designed by architect Daniel M. Vidal about 1920. It was built behind the municipal line and its displaced windows, grating, porch and recessed and protruding volumes give it a special personality. Other interesting examples are: a private alley with marble goblets at 1200 Libertad Street, and the Art Nouveau iron iris and masonry at 2031 Rivadavia Avenue, together with the entrance gate to the Alzaga family house at 1400 Cerrito Street (another of the doomed buildings later preserved because of its merits when the 9 de Julio Avenue was enlarged), and finally the unexpected cottage on Montevideo Street, in the heart of the "barrio norte", between Guido and Quintana. They all make up part of our city's architecture catalogue.

Pages 60-61

On street 33 of the Chacarita Cemetery we find Carlos Gardel's tomb. Popular tribute and love are always materialized in the flower in the hand of the "Smiling Bronze". On Montevideo Street, next to number 1386, between Argentine handicrafts and classic furniture, we come across this tribute of a "porteño" to Carlos Gardel. The smiling bust of the "Morocho del Abasto" on a pedestal, is surrounded by the instruments of his three guitarrists, Barbieri, Riverol and Aguilar. These are the characters of the city. The Mercado de Abasto (Eng.: wholesale market) and Carlos Gardel Street. On the corner, graffiti and hanging clothes surround the singer's picture. The neglect of the place is baffling. Where are the popular star's fans? It is a curious contradiction between reality and irreality.

Pages 62-63

People over thirty have the advantage of being able to remember streetcar rides. They recollect climbing the two steps, watching the conductor cut the tickets and walking along the aisle, feeling

the growing purring of the motor as it sped up. Let us not get sentimental though; in Caballito, on Saturdays and Sundays, the "Friends of the Streetcar" enable us to ride back to school... Our thanks for having struggled so long to get this time-machine brought over from Portugal.

Pages 64-65

San Martín Square from the top of Maipú and Juncal Streets seems about to be devoured by the buildings, but it is not so. The Kavanagh, the Plaza Hotel, the Military Circle and the seat of the Ministry of Foreign Affairs (Sp.: Palacio de la Cancillería) to the right, are its old companions, and they would not be quite themselves if the square disappeared.

Pages 66-67

The sun sifts through the trees blurring the trunks, the lamp posts and the English Tower in the background; it was donated by British residents as a token of their gratitude to Argentina in 1910, on the centennial of the May Revolution. The statue of General San Martín was unveiled on July 13th., 1862 and it stood on a simple and dignified marble base facing the side opposite the present one; the author was the French sculptor Luis José Daumas. In 1910, German-born Gustavo Eberlein was commissioned to build the base it now possesses. When it was raised above the ground, San Martín lost a little of the everyday loving admiration that came with proximity.

Our ancestral eclecticism could not avoid the Neo-Gothic, that was the style chosen to remodel, long time ago, the building that houses the National Parks Department (Sp.: Servicio Nacional de Parques Nacionales). It is built on a small triangular block quite uncommon in the city.

The walk round San Martín Square takes us to the Plaza Hotel, the destination of the important visitors that come to our city. To the left, with the back light, is the fountain the Catalans gave to Buenos Aires, the work of José Llimona, ironically a reminder of the time when it was removed from Rivadavia Park for reasons of morality.

Costanera Sur decayed and the Munich closed down, a real pity. It was threatened with demolition but a new use saved it from death. Nowadays it has been renovated and it houses the Telecommunication Museum, unfortunately without the beer.

These are two "porteño" landmarks, one more so than the other because it is within easier reach: the Obelisk and the Lola Mora fountain. The former was much criticized for its ugliness and uselessness, the latter for its lack of modesty. History set things right. The Fountain of the Nereids, as it is really called, is an integral part of the Costanera Sur, together with the Munich.

Pages 124-125

De la Cárcova School is another unknown spot in the city. Only those who study Fine Arts move familiarly within its workshops and the Cast Museum. Replicas of the wonders of the Ancient world, that have served as models for hundreds of students, keep each other company regardless of the difference of age, while Michelangelo's David, as the center of Creation, gets all the light that comes from above. The semi-darkness inside contrasts with the serene brightness of the outside. The Costanera Sur is an unexpected spot possessing both past memories and also future projects.

EXPLANATION

For many years now I have been passionately fond of old photographic cameras. The charm of their history and their primitive technique may have encouraged me to collect what I call my "living collection", made up of over sixty restored cameras. On one occasion, while I was making my usual round of antique and specialized shops, I stopped in wonder before a shop-window where, among hundreds of objects, a Panon Widelux panoramic model FV was on display. I walked past the shop several times to look at it from the outside, not daring to go in; finally, I made up my mind, paid about ten dollars for it and, happy as a child, hung it from my shoulder. When I succeeded in making two of the three shutter speeds work, I set off to shoot my first roll with black and white film. On developing it, the result was disappointing: there was sharp focus in the center of the frame and scant definition on the sides. After several attempts I realized it was a loading problem; once solved, the images became more and more attractive: it was then that I discovered its assets and its limitations.

Before going deeper into technical details, I would like to talk about the enthusiasm I experienced before these pictures which, in spite of their relative photographic quality, appealed to me by the unusual "mood" that made up for any deficiency. That was the reason why I decided to show some of my photographs to my friend José María Peña, to know whether he considered them worthy of a new book on Buenos Aires.

His wholehearted approval drove me forward. I had thought of using the panoramic material mixed with conventional 35 mm material from my files; with this in mind, I put together my first "dummy": panoramics and 35 mm full frame with, sloppy edges. I travelled to New York to exchange ideas with the American photographer Lisl Steiner, a close friend of Peña's and mine. She thought it was not convenient to mix panorama images with 35 mm to avoid the loss of visual unity.

Lisl Steiner is the photographer who has most influenced my work; therefore I readily took her advice. This is why the book intended to be of 35 mm with panoramics, ended up as a book of panoramics without 35 mm.

In appearance the Widelux camera resembles the classic box camera: it has three speeds (1/10, 1/125 and 1/250), five f-stops (2.8, 4, 5.6, 8 and 11), a direct optical finder and no focussing capability. I was spellbound because places I had already photographed looked completely different through its view-finder, but I cannot deny that the technical drawbacks set by such an elementary camera always made me feel as if I were "breaking in a wild horse".

In the first place, my beloved Widelux was designed to take photographs of landscapes, hence the difficulty in obtaining pictures as the ones presented here, particularly regarding middle distance shots and details. Another complication was to print the whole surface of the negative, keeping in mind that the direct optical finder does not allow to take photographs of exactly what is framed. You have to learn through experience what might "appear" or what

146

the camera eliminates before pressing the shutter, above all in the short distance shots since it has no parallax correction to help avoid misframing; hence the appearance of unwanted elements in the framing, and the elimination of a person's feet or of the base of a house. It is also difficult to foretell whether the horizon will appear concave or convex, since no eventual distortion may be noticed simply by looking through the view-finder.

Finally, and not to mention other problems, we have the difficulties caused by working with three speeds and five f-stops, bearing in mind what it really means to lack slow and fast speeds needed in some situations.

I worked with this camera on several occasions photographing places facing the sun and adjusting the exposure for the shadow areas, with the purpose of getting frontal light to overflow tree foliage or to smooth the pictures giving them a more romantic, unreal or nostalgic look.

In short, I paid more attention to the "mood" rather than to the quality, which I did not resign as far as possible, being permanently lured by the magic and charm of the unexpected and casual. These words are not supposed to be a justification, they are only intented to enlighten photographers about the reasons that moved me, and the way in which I produced the photographs that illustrate this book.

I wish these photographs encouraged young people to recover from oblivion and use without prejudice those cameras, whether anonymous or of famous make, that lie dusty and forgotten among grandfather's things, bearing in mind, beforehand, that they are useful and will provide lots of satisfaction when used with love and care. Together with Peña and my team of collaborators I offer you these "Highlights of Buenos Aires".

ALDO SESSA

RINCONES DE BUENOS AIRES, con texto de *José María Peña* y fotografías de *Aldo Sessa*, se terminó de imprimir el 19 de junio de 1987 en Hong Kong; 4.020 ejemplares constituyen la primera edición de esta obra.

PARTICIPARON EN LA REALIZACION DE ESTE LIBRO:

Carlos Buezas: Asistente de producción
Marta G. de Schwartzman: Administración y ventas
Daniel Núñez: Laboratorio, impresión de copias y armado de originales
Gonzalo de Torre: Asistente de secretaría
Luis Sessa: Asistente de secretaría

Miguel de Torre: Cuidado de la edición
Santiago Rocca: Asesor en fotocomposición
Philip Grushkin: Dirección gráfica
Yolanda Alderoqui: Traducción al inglés
Linos SRL: Fotocomposición

Taller de Aldo Sessa: Diseño gráfico y producción general

EDICIONES COSMOGONIAS, AGRADECE ESPECIALMENTE LA COLABORACION DE:

Jorge Alonso, Alberto E. Augsburger, Susana Ayala, Francisco Bausili, Enrique Braun Estrugamou, Hugo Beccacece, Eduardo Bergara Leumann, William Bianco, Romualdo Brughetti, Pablo Coconier, Antonio Cornejo, Aldo Dainese, Fernando de Arostegui, Albino Diéguez Videla, Elías Farah, Susana Fischman, Alberto García Hamilton, Alberto García Hamilton (h), Eduardo García Mansilla, Javier Goñi, Wolfram Hecht, Ramón Hernández, María Estela Hugetti, Giorgio Latttes, Marcelo Leccardi, Juan Carlos Leonelli, Jorge y Pilar Letemendía, Ina Lorsch, Osvaldo Lucentini, José Malbrán, Fernando Marín, Víctor Martínez, Tomeji Maruyama, Elías Mejalelaty, Alberto y Alina Molinari, Anselmo Morvillo, Arturo Muzzio, Anthony Paine, Osvaldo Paine, José Carlos Quinteiro, Horacio Ramos, Carlos Resoagli, Adolfo L. Ribera, Roberto Rocca, Héctor Rodríguez de la Fuente, Carlos Santillán, Aída O. de Sermoneta, Teresita G. H. de Sessa, Valeria Sessa, Carolina Sessa, Nelly C. de Sessa, Alex Soldati, Lisl Steiner, Francisco Verstraten, María Villa Hoz, y Daniel Viacava.

Anselmo L. Morvillo S.A., Banco Quilmes S.A., Duperial S.A., Estrella Mérieux S.A., FATE S.A., Fundación Banco Almafuerte, Fundación Gillette, Laboratorio Bagó S.A., LR1 Radio El Mundo, Mejalelaty y Asociados, Molinari S.A., Pirelli, Qualitas Médica S.A., Rabello y Cía. S.A., Techint.